A Cidade do Sol

Dados Internacionais de Catalogação na Publicação (CIP)
(Câmara Brasileira do Livro, SP, Brasil)

Campanella, Tommaso, 1568-1639.
A Cidade do Sol : diálogo poético / Tommaso Campanella ; tradução de Carlo Alberto Dastoli. – Petrópolis, RJ : Vozes, 2014. – (Vozes de Bolso)

Título original : La Città del Sole

ISBN 978-85-326-4811-2

1. Campanella, Tommaso, 1568-1639 2. Filosofia política 3. Utopias – Obras anteriores a 1800 I. Título. II. Série.

14-05068 CDD-321.07

Índices para catálogo sistemático:

1. Estados ideais : Ciência política   321.07
2. Utopias : Ciência política   321.07

Tommaso Campanella

A Cidade do Sol

Diálogo poético

Tradução de Carlo Alberto Dastoli

Vozes de Bolso

Título do original italiano: *La Città del Sole*
Traduzido a partir da edição da Newton & Compton, 1995,
editado por Massimo Baldini

© desta tradução:
2014, Editora Vozes Ltda.
Rua Frei Luís, 100
25689-900 Petrópolis, RJ
Internet: http://www.vozes.com.br
Brasil

Todos os direitos reservados. Nenhuma parte desta obra
poderá ser reproduzida ou transmitida por qualquer forma
e/ou quaisquer meios (eletrônico ou mecânico, incluindo
fotocópia e gravação) ou arquivada em qualquer sistema ou
banco de dados sem permissão escrita da editora.

Diretor editorial
Frei Antônio Moser

Editores
Aline dos Santos Carneiro
José Maria da Silva
Lídio Peretti
Marilac Loraine Oleniki

Secretário executivo
João Batista Kreuch

Editoração: Fernando Sergio Olivetti da Rocha
Diagramação: Sheilandre Desenv. Gráfico
Capa: visiva.com

ISBN 978-85-326-4811-2

Editado conforme o novo acordo ortográfico.

Este livro foi composto e impresso pela Editora Vozes Ltda.

INTERLOCUTORES
Hospitalário[1] e Timoneiro
Genovês de Colombo

HOSPITALÁRIO – Diga-me, por favor, tudo o que aconteceu com vocês durante essa navegação.

GENOVÊS – Já lhe disse como dei a volta ao mundo e, depois, como cheguei em Taprobana[2] e fui forçado a desembarcar, fugindo, logo em seguida, da fúria dos habitantes, embrenhei-me em uma selva e saí numa grande planície, precisamente sob a linha do equador.

HOSPITALÁRIO – O que aconteceu com você?

GENOVÊS – Logo encontrei um grupo numeroso de homens e mulheres armados, muitos dos quais entendiam a minha língua, e me levaram para a Cidade do Sol.

HOSPITALÁRIO – Diga-me, como é construída essa cidade? Como ela é governada?

---

1. Cavaleiro da Ordem dos Hospitalários de São João de Jerusalém [N.T.].
2. Nome clássico da Ilha de Ceilão, hoje denominada Sri Lanka [N.T.].

GENOVÊS – Um morro desponta no alto de um campo e em cima dele está a maior parte da cidade; seus círculos, contudo, estendem-se por amplo espaço para além dos pés do morro, de tal modo que a cidade mede mais de duas milhas de diâmetro, e seu perímetro inteiro mede sete milhas; mas, pela elevação, possui mais moradias do que se estivesse numa planície.

A cidade está dividida em sete círculos enormes que recebem o nome dos sete planetas, e é possível ir de um para o outro por meio de quatro estradas e quatro portas, para os quatro cantos do mundo; no entanto, é construída de tal forma que, conquistando o primeiro círculo, seria necessário muito mais esforço para conquistar o segundo, e assim por diante; de maneira que seria necessário recomeçar a conquista sete vezes, expugná-la totalmente e conquistá-la. Mas eu acho que nem o primeiro círculo é possível conquistar, por ser tão grande e terrapleno, e tem baluartes, torres, artilharia e fossos externos.

Entrando, portanto, pela porta voltada para o norte, recoberta de ferro, fabricada de tal forma que se levanta e se abaixa com um belo mecanismo, pode ser visto um espaço de cinquenta passos entre a primeira muralha e a segunda. Junto a ela há palácios unidos ao redor do muro, tanto que se pode dizer que são uma coisa só; na parte superior eles têm revelins sustentados por colunas, como se fossem arcadas de conventos de frades, e na parte inferior só há entrada pelo lado côncavo dos palácios. Depois, há belas salas com janelas convexas e côncavas, separadas entre si com pequenas paredes. Somente a parede convexa tem espessura de oito palmos, ao passo que a côncava tem três palmos, as medianas têm mais de um palmo ou pouco mais.

Logo em seguida chega-se ao segundo andar, dois ou três passos mais estreito, e podem ser vistas as segundas muralhas com os revelins externos e as passarelas; do lado interno há outra muralha que parece cortar os palácios ao meio, o claustro com as colunas embaixo e, acima delas, belas pinturas.

Assim chega-se ao topo, sempre por andares. Somente quando se entra pelas portas, que são duplas devido às muralhas internas e externas, sobe-se por degraus, construídos de forma tal que não se sente a subida, pois estão colocados de viés e têm um tamanho quase imperceptível.

No cume do monte há uma planície ampla e um grande templo colocado no meio, de construção maravilhosa.

HOSPITALÁRIO – Prossiga, vá adiante, por favor.

GENOVÊS – O templo é perfeitamente redondo e não possui muralhas ao redor, mas está apoiado em colunas muito fortes e bonitas. A cúpula maior tem no centro uma pequena cúpula, com uma fenda aberta sobre o único altar que está no meio do templo. O interior do templo é rodeado de colunas por mais de trezentos passos, e, do lado externo, por oito passos, há os claustros com paredes pouco elevadas acima dos bancos dispostos ao redor da parede côncava externa, embora não faltem, em todas as colunas internas que sustentam o templo, muitos bancos portáteis.

Sobre o altar há apenas um mapa-múndi muito grande, no qual está pintado todo o céu, e outro onde está a Terra. Na cúpula principal estão pintadas todas as estrelas maiores do céu, assinaladas com seus nomes e virtudes, tendo sobre as coisas terrenas três versos cada uma; aparecem também os polos e os círculos não totalmente marcados, porque falta a parede debaixo do globo, mas pode-se vislumbrar que se completam por sua correspondência com os globos do altar. Há sete lâmpadas sempre acesas com o nome dos sete planetas.

Sobre o templo há algumas celas ao redor da pequena cúpula, e muitas outras grandes sobre os claustros, e aqui moram quarenta religiosos.

Acima da cúpula há uma bandeirola para indicar a direção dos ventos, e por meio dela os habitantes distinguem trinta e seis tipos de vento; quando sopra cada vento sabem que estação ele traz. Há também no templo um livro com letras de ouro que descreve coisas importantíssimas.

HOSPITALÁRIO – Pela sua fé, por favor, conte-me a respeito de sua forma de governo, pois esperava por isso.

GENOVÊS – Há um Príncipe Sacerdote entre seus habitantes, que se chama Sol, que em nossa língua se diz Metafísico: este é o chefe espiritual e temporal de todos, e tudo para ele converge.

Ele é assistido por três Príncipes: Pon, Sin, Mor, nomes que significam Poder, Sabedoria e Amor.

O Poder cuida das guerras, das pazes e da arte militar; é o comandante supremo na guerra, mas não está acima do Sol; cuida dos oficiais, dos guerreiros, dos soldados, das munições, das fortificações e das expugnações.

A Sabedoria cuida de todas as ciências, dos doutores e magistrados, das artes liberais e mecânicas; estão sob seu comando tantos magistrados quantas são as ciências: há o Astrólogo, o Cosmógrafo, o Geômetra, o Lógico, o Retórico, o Gramático, o Médico, o Físico, o Político, o Moralista; ela mantém um livro único, no qual estão todas as ciências, e faz ler a todo o povo segundo o costume dos Pitagoristas. Por isso mandou pintar todas as ciências em todas as muralhas, nos revelins, por dentro e por fora.

Nas paredes externas do templo e nas cortinas, que se abaixam quando é feita uma pregação para que a voz não se disperse, estão pintadas todas as estrelas ordenadamente, cada uma delas com três versos.

Na parte interna das muralhas do primeiro círculo estão todas as figuras matemáticas, em número maior daquelas descritas por Euclides e Arquimedes, com sua proporção significante. Na parte externa dessa muralha está desenhado o mapa de toda a Terra e depois as tabelas de cada província com seus ritos, costumes e leis, e com os alfabetos usuais acima do alfabeto da Cidade do Sol.

No interior do segundo círculo encontram-se todas as pedras preciosas e não preciosas, minerais, metais verdadeiros e pintados, com explicações em dois versos para cada um. Na parte externa do círculo estão indicados todos os lagos, mares e rios, como também vinhos, óleos e outros licores, com suas virtudes, proveniências e qualidades; há jarras cheias de diferentes licores de cem e trezentos anos, com os quais são curadas quase todas as enfermidades.

No interior do terceiro círculo estão pintadas todas as espécies de ervas e árvores do mundo, inclusive em vasos de terracota colocados sobre os revelins, com as explicações onde foram encontradas antes, suas virtudes e as semelhanças que têm com as estrelas, com os metais e com os membros humanos, além de seu uso na medicina. Na parte externa da muralha estão pintadas todas as espécies de peixes de rios, lagos e mares, e suas qualidades e modo de viver, de se reproduzir, de serem criados e para que servem, as semelhanças que têm com as coisas celestes e terrestres, com a arte e com a natureza; e fiquei surpreso quando encontrei o peixe-bispo, o peixe-corrente, o peixe-prego e o peixe-estrela, justamente como são essas coisas entre nós. Há os pepinos-do-mar, os ouriços-do-mar, as ostras e tudo o que é digno de ser conhecido com a arte admirável de pintura e escrita, que informa sobre tudo o que existe.

No interior do quarto círculo estão pintadas todas as espécies de pássaros, suas qualidades, dimensões e costumes, e a fênix que é inteiramente real entre eles. Na parte externa estão representadas todas as espécies de animais répteis, serpentes, dragões, vermezinhos, e também insetos, moscas, mutucas etc., com suas propriedades, venenos e peculiaridades; e são mais do que imaginamos.

No interior do quinto círculo é mostrada toda sorte de animais terrestres perfeitos que é de ficar maravilhado. Não conhecemos senão a milésima parte deles, contudo, pelo fato de serem muito grandes, foram pintados no revelim externo; e quantas espécies de cavalos ou belas figuras expostas sabiamente!

No interior do sexto círculo estão pintadas todas as artes mecânicas, seus inventores e seus diferentes modos de uso nas várias regiões do mundo. Na parte externa há os criadores das leis, das ciências e das armas. Encontrei Moisés, Osíris, Júpiter, Mercúrio, Maomé e muitos outros; em um local muito honrado estavam Jesus Cristo e os doze apóstolos, especialmente venerados pelos habitantes daquela cidade, além de César, Alexandre, Pirro e todos os Romanos. Como eu perguntasse, estupefato, como conheciam aquelas histórias, eles me mostraram que cultivavam as línguas de todas as nações, e que para isso enviavam seus embaixadores pelo mundo afora, a fim de se informarem sobre os bens e os males de todos, regozijando-se muito com isso. Vi que na China a pólvora e a imprensa foram inventadas antes de nós. Há mestres dessas coisas e as crianças, sem incomodar, aprendem brincando todas as ciências antes de completar dez anos.

O Amor cuida da geração, unindo homens e mulheres, para que criem uma boa raça; e riem de nós porque damos atenção à raça de cães e de cavalos, mas descuidamos da nossa. Cuidam da educação, dos remédios, das especiarias, da semeadura e da colheita das frutas, da forragem, das mesas e de todas as outras coisas que dizem respeito à alimentação, ao vestuário e à relação sexual, e há muitos mestres e mestras que se dedicam a essas artes.

O Metafísico trata de todos esses assuntos com os príncipes, porque sem ele nada se faz, tudo é comunicado pelos quatro, mas quando o Metafísico aprova, todos concordam.

HOSPITALÁRIO – Fale-me, agora, dos ofícios, da educação e do modo de vida de seus habitantes; se o Estado deles é república, monarquia ou aristocracia.

GENOVÊS – Este é um povo que chegou das Índias e muitos eram filósofos que fugiram da destruição provocada pelas invasões dos Mongóis e de outros predadores e tiranos; por isso resolveram viver filosoficamente em comum, embora não fosse costume dos povos de sua província terem as mulheres em comum, eles adotaram-no na Cidade do Sol e assim vivem. Todas as coisas são comuns; no entanto, os oficiais determinam a distribuição dos bens, e não somente a alimentação, mas as ciências, as honras e as diversões são comuns, de maneira que ninguém pode apropriar-se de coisa alguma.

Eles dizem que toda propriedade se origina do fato de construir casa em separado, de ter filhos e mulher própria, donde nasce o amor-próprio; para cumular de riquezas e dignidades o filho, ou ainda para torná-lo herdeiro, cada um se torna ou rapinador da coisa pública (se não tem medo, sendo poderoso), ou avarento, insidioso e hipócrita (se é fraco). Mas quando perdem o amor-próprio, fica só o amor comum.

HOSPITALÁRIO – Então, ninguém vai querer trabalhar, esperando que o outro trabalhe, como afirma Aristóteles criticando Platão.

GENOVÊS – Eu não sei debater, mas posso dizer que eles têm muito amor à pátria, que é uma coisa maravilhosa, mais do que se afirma dos Romanos, pois são mais desprendidos. E acredito que nossos padres e monges, se não tivessem parentes, amigos, ou a ambição de galgar mais dignidades, seriam mais desprendidos, santos e caridosos para com todos.

HOSPITALÁRIO – Então lá não há amizade, pois seus habitantes não se ajudam uns aos outros.

GENOVÊS – Pelo contrário, [a amizade] é muito grande: porque é bonito ver que entre eles não podem dar coisa alguma, tendo tudo em comum, e os magistrados vigiam para que ninguém tenha mais do que aquilo que merece. Entretanto, todos têm o necessário. E entre eles o amigo se conhece nas guerras, nas enfermidades, nas ciências, nas quais se ajudam e ensinam uns aos outros. E todos os jovens se chamam de irmãos e aqueles que têm quinze anos a mais que eles são chamados de pais, e aqueles que têm quinze anos a menos, de filhos. Além disso, os magistrados estão atentos a todas essas coisas para que ninguém possa prejudicar o outro nessa irmandade.

HOSPITALÁRIO – E como?

GENOVÊS – A cada virtude que nós temos correspondem para eles um magistrado: há um que se chama Liberalidade, outro Magnanimidade, outro Castidade, um que se chama Fortaleza, outro Justiça criminal e civil, outro Solércia, outro Verdade, outro Beneficência, outro Gratidão, outro Misericórdia etc.; e para cada um desses cargos se elege aquele que, desde criança na escola, está mais propenso para algumas dessas virtudes. No entanto, não havendo entre eles latrocínios, nem assassinatos, nem estupros e incestos, nem adultérios, dos quais nos acusamos, eles se acusam de ingratidão, de maldade, de não fazer um prazer honesto, de mentira, coisas que abominam mais que a peste; e as penas aplicadas a esses réus são a privação da mesa comum ou a privação de relações com mulheres, e de algumas honras, até quando o juiz achar necessário para corrigi-los.

HOSPITALÁRIO – Você pode me dizer, agora, como se dá a escolha dos magistrados?

GENOVÊS – Não é possível dizer isso sem antes conhecer como eles vivem. É preciso saber que os homens e as mulheres vestem roupas próprias para a guerra, embora as mulheres usem a túnica até abaixo dos joelhos, a dos homens é usada acima dos joelhos.

E todos são educados em todas as artes. Depois dos três anos de idade, os meninos aprendem a língua e o alfabeto passeando nas muralhas, caminhando em quatro fileiras; e quatro anciãos os guiam e ensinam, e depois os deixam brincar e correr, para fortalecê-los, sempre descalços e de cabeça descoberta, até os sete anos de idade. A partir dessa idade, conduzem-nos às oficinas das artes, dos costureiros, dos pintores, dos ourives etc., e observam a aptidão de cada um. Depois dos sete anos de idade, todos participam das aulas de ciências naturais: há quatro professores da mesma matéria, e em quatro horas as quatro turmas são dispensadas, pois, enquanto alguns exercitam o corpo ou fazem os serviços públicos, os outros assistem à aula. Depois disso, todos se dedicam ao estudo das matemáticas, das medicinas e das outras ciências, e há contínua competição e concorrência entre eles; aqueles, portanto, que tiram maior proveito numa ciência ou em uma arte mecânica se tornarão magistrados daquela ciência porque cada arte tem seu chefe. E vão aprender também no campo, nos trabalhos e no pasto dos animais, e aquele que aprender mais artes e souber praticá-las é considerado da mais alta nobreza. Por isso riem de nós, pois consideramos desprezíveis os artífices, e dizemos que são nobres aqueles que não aprendem arte alguma e ficam ociosos, deixando no ócio e na lascívia muitos servidores com prejuízo para a República.

Os magistrados são eleitos por aqueles quatro chefes e pelos mestres daquela arte, os quais sabem muito bem quem é mais apto para aquela arte ou virtude que deve dirigir, e propõem isso ao Conselho, onde cada um pode expor o que sabe de cada um dos candidatos. No entanto, só pode ser Sol aquele que conhece todas as histórias dos povos, os ritos e os sacrifícios, as leis das repúblicas, os inventores das leis e das artes. Além disso, é necessário que ele conheça todas as artes mecânicas, pois a cada dois dias aprende-se uma delas (mas a prática aqui as torna todas conhecidas), e a pintura. Ele deve, portanto, conhecer todas as ciências matemáticas, físicas, astrológicas. Ele não se preocupa em conhecer as línguas porque tem os intérpretes, que são seus gramáticos. Mas, acima de tudo, é necessário que seja Metafísico e Teólogo, que saiba bem as origens e as provas de toda arte e ciência, as semelhanças e as diferenças das coisas, a Necessidade, o Destino e a Harmonia do mundo; a Potência, a Sabedoria e o Amor divino e de todas as coisas, os graus dos entes e suas correspondências com as coisas celestes, terrestres e marítimas, estudando muito bem os profetas e a astrologia. Portanto, sabe-se quem deve ser Sol, e se não tiver completado trinta e cinco anos, não alcança esse grau; este cargo é perpétuo, até quando não for encontrado alguém que saiba mais do que ele e seja mais apto ao governo.

HOSPITALÁRIO – E quem pode saber tanto? Aliás, um cientista não pode saber como governar.

GENOVÊS – Eu disse isso a eles e me responderam: "Mais certos estamos nós que um grande sábio consegue governar do que vocês que preferem escolher homens ignorantes, julgando serem aptos porque nasceram nobres, ou porque foram eleitos por uma facção poderosa. Mas o nosso Sol, embora inexperiente no governo, nunca será cruel, nem celerado, nem tirano, possuindo muito conhecimento. Mas saibam que este argumento pode funcionar entre vocês, que julgam douto quem sabe mais gramática e lógica que Aristóteles ou que esse ou aquele autor; para tanto, é suficiente somente memória servil com a qual o homem é condenado à inércia, porque não contempla as coisas, mas os livros, e sua alma fica aviltada com aquelas coisas, mortas; nem sabe como Deus governa as coisas, os hábitos da natureza e das nações. Isso não pode acontecer com o nosso Sol, porque não pode alcançar tantas ciências quem não tiver um engenho aguçado para todas as coisas, e ele é sempre muito ativo para o governo. Nós sabemos também que quem conhece apenas uma ciência, na realidade não sabe bem aquela e tampouco as outras, e aquele que é apto para uma só, estudada num livro, é inerte e grosseiro. Isso não ocorre, contudo, com aqueles que têm o engenho atilado e facilidade para todo conhecimento, como é mister que seja o Sol. E na nossa cidade se aprendem as ciências com tamanha facilidade, como você vê, que em um ano aqui se sabe mais do que em dez ou quinze anos no meio de vocês, e preste atenção nesses meninos".

Nisso eu fiquei confuso com suas razões e com a prova daqueles meninos, que entendiam a minha língua; pois de toda língua sempre devem existir três que a saibam. E entre eles não há ócio nenhum, a não ser aquele que os torna doutos; depois vão para o campo para correr, atirar com o dardo, atirar com arcabuzes, caçar as feras, trabalhar, conhecer as ervas, primeiro um grupo e depois o outro.

Os três Príncipes precisam saber apenas aquelas artes que pertencem ao seu ofício. Por essa razão, conhecem as artes comuns a todos, aprendendo-as historicamente, e depois as próprias, nas quais um tem mais aptidão do que outro: assim o Poder saberá a arte cavalheiresca, produzir todo tipo de armas, coisas de guerra, máquinas, arte militar etc. Mas todos esses príncipes devem ser filósofos e, mais ainda, historiadores, naturalistas e humanistas.

HOSPITALÁRIO – Agora eu gostaria que você me contasse todas as funções, e as diferenciasse; e se é necessária a educação comum.

GENOVÊS – Primeiramente as salas são comuns a todos, como também os dormitórios, as camas e todas as coisas necessárias; mas, a cada seis meses, separam-se dos mestres: alguém deve dormir num círculo, alguém noutro, no primeiro quarto ou no segundo, indicados pelo alfabeto.

Há, depois, as artes comuns aos homens e às mulheres, artes especulativas e mecânicas, com a diferença de que os homens fazem aquelas que exigem grande esforço e caminhada, como lavrar, semear, colher as frutas, alimentar as ovelhas, trabalhar no quintal, na vindima. Mas para fazer o queijo e ordenhar, é costume mandar as mulheres, como também às hortas perto da cidade e aos serviços mais fáceis. De modo geral, os ofícios realizados em pé ou sentado, na maioria das vezes, são deixados para as mulheres, como tecer, costurar, cortar cabelo e barba, preparar especiarias, fazer todo tipo de roupas, diferentes do ofício de ferreiro ou das armas. Não é proibida a mulher que tenha aptidão para pintar. A música é permitida somente às mulheres, porque elas agradam mais, e às crianças, mas não o uso das trombetas e dos tambores. As mulheres preparam também os alimentos, arrumam as mesas, mas quem serve são os jovens, homens e mulheres, de até vinte anos.

Há em cada círculo as cozinhas públicas e as despensas dos mantimentos. Em cada oficina quem manda é um velho e uma velha, que têm o poder de bater ou mandar outros baterem nos negligentes e desobedientes, tomando nota em que exercício um menino ou uma menina consegue se dar melhor. Toda a juventude serve os velhos que ultrapassam dos quarenta anos, mas o mestre ou a mestra têm o dever de vigiar à noite, quando vão dormir, e pela manhã, de distribuir os serviços àqueles a quem cabe fazer, um ou dois para cada quarto, e os jovens se ajudam entre si, e ai daquele que se recusa! Há as primeiras e as segundas mesas: de um lado comem as mulheres, do outro os homens, e estão como nos refeitórios dos frades:

come-se sem fazer barulho, e sempre há alguém que lê na mesa, cantando, e muitas vezes o magistrado fala sobre algum trecho da aula. É uma coisa agradável ver tantos belos jovens servir, em traje sucinto, e ver ao lado tantos amigos, irmãos, filhos e mães que vivem com tanto respeito e amor.

Dá-se a cada um, de acordo com sua atividade, um prato de comida e sopa, frutas e queijos, e os médicos se encarregam de dizer aos cozinheiros, naquele dia, que tipo de alimento deve ser preparado, e qual convém aos velhos, aos jovens e aos doentes. Os magistrados recebem a parte melhor, e eles, frequentemente, mandam uma porção a quem mais se destacou pela manhã durante as aulas e nas competições de ciências e armas, e isso é considerado grande honra e favor. Nas festas mandam cantar uma música também durante a refeição e, como todos servem à mesa, não falta nada. Velhos sábios presidem quem cozinha e os refeitórios, e apreciam muito a limpeza das ruas, dos quartos, dos vasos, das roupas e da pessoa.

Usam uma camisa branca de linho e depois uma túnica, que é ao mesmo tempo colete e calças, sem dobras e dividido ao meio, de lado e embaixo e depois abotoado. As calças chegam até os calcanhares, às quais aderem uma espécie de botas e sobre estas calçam os sapatos. As roupas são tão justinhas que, quando despem a túnica, é possível reconhecer as formas da pessoa. Mudam o tipo de vestuário quatro vezes por ano, quando o Sol entra em Câncer e Capricórnio, Áries e Libra. E, de acordo com a compleição física e a altura, cabe ao Médico providenciar a distribuição das roupas juntamente com o encarregado do vestuário de cada círculo. É uma coisa admirável o fato de possuírem tantas roupas quantas quiserem: pesadas, leves, de acordo com as estações do ano. Todos vestem de branco e todo mês as roupas são lavadas com sabão, e as roupas mais finas com alvejante.

Todos os quartos que estão na parte inferior são oficinas, cozinhas, celeiros, guarda-roupas, despensas, refeitórios, banheiros, embora se lavem também nas banheiras dos claustros. A água é escoada pelas latrinas ou pelos canais que terminam naquelas. Em todas as praças dos círculos, há as respectivas fontes, que puxam as águas do fundo movendo só uma madeira, vertendo-as em seguida pelos canais. Há muita água da fonte nos reservatórios, que recolhem as águas da chuva através dos canais das casas, passando por aquedutos arenosos. As pessoas se lavam de acordo com o que prescrevem o Mestre e o Médico. As artes mecânicas são realizadas nos claustros inferiores e as artes especulativas, acima deles, onde estão as pinturas; no templo, é feita a leitura.

Nos átrios externos, em todos os círculos, estão os relógios de sol e os de carrilhão, bem como bandeirolas para saber a direção dos ventos.

HOSPITALÁRIO – Fale-me, agora, da geração.

GENOVÊS – Nenhuma mulher se submete ao homem antes dos dezenove anos de idade, e nem homem algum se dispõe à geração antes dos vinte e um anos de idade, e até mais se for de compleição delicada. Antes desse tempo, é permitido a alguns manter relações sexuais com mulheres estéreis ou grávidas, para não cometer excessos; cabe às mestras matronas e aos homens idosos providenciar encontros para esse fim, de acordo com o que lhes é falado em segredo por aqueles mais molestados por Vênus. Providenciam esses encontros, mas isso não se faz sem que o mestre maior saiba, que é um grande médico e está sujeito a Amor, Príncipe supremo. Aqueles que forem surpreendidos em atos de sodomia são vituperados e são obrigados a carregar por dois dias um sapato atado ao pescoço, significando que perverteram a ordem e puseram os pés sobre a cabeça e, na segunda vez que forem descobertos, a pena aumenta, até atingir a pena capital. Aqueles, porém, que se abstiverem até os vinte e um anos de toda relação sexual, são celebrados com algumas honras e canções.

Porque, quando se exercitam para a luta, como os antigos gregos, todos estão despidos, tanto os homens como as mulheres, de forma que os mestres sabem quem é impotente e quem não é apto para a relação sexual, e quais membros são condizentes com outros membros. Assim, após serem bem-lavados, mantêm relações sexuais a cada três noites; unem-se somente as mulheres grandes e bonitas a homens grandes e virtuosos, as gordas aos magros, e as magras aos gordos, para que se estabeleça o equilíbrio. De noite os meninos preparam as camas e depois os geradores vão dormir conforme a ordem do mestre ou da mestra. Eles não mantêm relações sexuais sem antes terem digerido e terem feito a oração, e há belas estátuas de homens ilustres que as mulheres contemplam. Depois vão até a janela e rezam ao Deus do Céu, para que lhes conceda uma boa prole. E dormem em duas celas separadas até a hora em que devem se unir, e então a mestra vai e abre as portas das duas celas. Esta hora é determinada pelo Astrólogo e pelo Médico, e procuram escolher para a cópula o momento em que Mercúrio e Vênus surgem no horizonte antes do Sol, em posição favorável, enquanto Júpiter, Saturno e Marte se encontram, em relação a eles, no interior da faixa zodiacal, a uma distância de significado também favorável. E assim também o Sol e a Lua, que muitas vezes definem o destino, devem se encontrar na mesma posição.

E, geralmente, querem Virgem em ascendente; mas prestam bem atenção para que Saturno e Marte não estejam em posição de ângulo, porque os quatro ângulos em oposição e nos quadrantes se contaminam, e desses ângulos deriva a raiz da virtude vital e da sorte, dependente da harmonia do todo com as partes. Não se preocupam com a influência astrológica, mas somente com seus aspectos bons. Mas procuram a influência astrológica somente quando da fundação da cidade e da formulação da lei, desde que não tenha como príncipe Marte ou Saturno, a não ser que estejam em posições favoráveis. Consideram em pecado o fato de os geradores não se acharem puros três dias antes da relação sexual e terem cometido ações malévolas, além de não serem devotos do Criador. Os outros, que por deleite ou por necessidade têm relações sexuais com mulheres estéreis, grávidas ou de pouco valor, não observam essas sutilezas. Os magistrados, que são todos sacerdotes, e os sábios, não se tornam geradores antes de observarem durante muitos dias e mais condições estabelecidas; porque eles, em virtude de muita especulação, têm o espírito animal fraco e não transfundem a energia do cérebro, porque refletem sempre sobre alguma coisa; por essa razão geram uma raça triste. Desse modo, procuram se entregar a mulheres vivazes, fortes e belas; e os homens fantásticos e extravagantes se entregam a mulheres gordas, comedidas, de costumes suaves. Dizem que a pureza da compleição, onde frutificam as virtudes, não se pode adquirir com a arte, e que dificilmente, sem a disposição natural, a virtude moral pode vingar; além disso, sustentam que os homens de natureza ruim só praticam o bem pelo temor da lei e, na falta dela, destroem a república, secreta ou publicamente. Porém, todo cuidado deve ser aplicado à geração, visando os métodos naturais, e não o dote ou a nobreza falaciosa.

Se algumas dessas mulheres não concebem com um homem, são confiadas a outros; se por acaso a mulher for estéril, pode-se juntar, mas sem a honra das matronas no Conselho da geração, na mesa e no templo, e fazem isso para que ela não procure a esterilidade para entregar-se à luxúria. Aquelas que conceberam, permanecem quinze dias sem trabalhar; depois, fazem exercícios leves para fortificar a prole e abrir seus meatos à alimentação. Depois do parto, elas mesmas criam os filhos em lugares comuns, amamentando por dois anos ou mais, de acordo com o parecer do Físico. Após a desmama, a prole é entregue aos cuidados das mestras, se forem meninas, ou dos mestres, se forem meninos. E, junto com as outras crianças, exercitam-se aqui no alfabeto, aprendem a caminhar, correr, lutar e estudam história por meio de figuras; vestem roupas de cores variadas e bonitas. Aos sete anos de idade dedicam-se às ciências naturais, depois ao estudo das outras coisas, conforme a orientação dos mestres; e depois se dedicam ao estudo da mecânica. Os filhos de pouco valor, entretanto, são mandados para os campos e, quando conseguem progredir, voltam para a cidade. Mas, na maioria dos casos, sendo gerados na mesma constelação, os contemporâneos se assemelham em virtude, nas feições e nos costumes. Esta é uma concórdia estável na república, e se amam muito e se ajudam mutuamente.

Seus nomes não são dados ao acaso, mas sim pelo Metafísico, de acordo com as peculiaridades de cada um, como era costume entre os antigos Romanos: por isso alguns se chamam Belo, outros Narigudo, outros Pezão, outros Vesgo, outros Crasso etc.; mas, quando se tornam valentes em sua arte ou por algum feito na guerra, acrescenta-se o sobrenome da arte, como Pintor Magno, Áureo, Excelente, Valente, dizendo Crasso Áureo etc.; ou ainda, conforme os atos, dizendo: Crasso Forte, Astuto, Vencedor, Magno, Máximo etc., ou ainda em referência ao fato de terem vencido algum inimigo, como Africano, Asiático, Etrusco etc.; Manfredi, Tortélio, por ter superado Manfredi ou Tortélio, e outros semelhantes. Esses sobrenomes são acrescentados pelos grandes magistrados, e são dados juntamente com uma coroa conveniente ao ato ou à sua arte, com aplausos e música. E eles ficam felizes com esses aplausos, porque ouro e prata não são estimados e servem apenas como matéria de vasos e de ornamentos comuns a todos.

HOSPITALÁRIO – Não há ciúmes entre eles ou dor quando alguém não é escolhido como gerador ou para aquilo que ambiciona?

GENOVÊS – Não senhor, porque a ninguém falta o necessário, de acordo com seu gosto. A geração é observada religiosamente para o bem público, não particular, e é necessário obedecer a decisão do magistrado. Platão disse que as pretendentes a belas mulheres sem merecimento deviam ser enganadas, fazendo habilmente um sorteio de acordo com o mérito; isso não precisa ser feito com engano para as feias se contentarem com os feios, porque entre eles não há feiura: de fato as mulheres, exercitando-se, adquirem uma cor viva, membros fortes e grandes, e sua beleza consiste no vigor, na vivacidade e na grandeza. Por essa razão, incorre em pena capital aquela que pintar o rosto, usar calçados ou vestidos longos para cobrir os pés de madeira[3]; mas elas não teriam possibilidade nem sequer de o fazer, pois quem lhes daria isso? E dizem que esse

---

3. *Para cobrir os pés de madeira*: alusão ao costume das mulheres de utilizar calçados com solado de cortiça, ou tamancos, para aumentar sua altura [N.T.].

abuso entre nós provém do ócio das mulheres, que as torna pálidas, fracas e pequenas e, por isso, precisam de cores e calçados altos, para se tornarem bonitas por meio da ternura, prejudicando assim a própria compleição e a da prole. Além disso, se alguém se apaixona por alguma mulher, é permitido a eles conversar, fazer versos, brincadeiras, oferecer flores e plantas. Mas se se prejudica a geração, de maneira alguma são liberadas entre eles a relação sexual, a não ser quando a mulher estiver grávida ou for estéril. Em geral, entre eles só é admitido o amor de amizade e não o de concupiscência ardente.

As coisas materiais não são consideradas, porque cada um tem aquilo de que necessita, exceto quando se trata de honrar alguém. Por isso, a república distribui alguns presentes a heróis e heroínas, na mesa ou durante festas públicas, como grinaldas ou roupas bem ornamentadas. Embora todos usem roupas brancas durante o dia na cidade, à noite e fora da cidade, porém, usam roupas vermelhas de seda ou de lã. Detestam a cor preta, como a mais desprezível das coisas, e odeiam os japoneses que gostam dela. A soberba é considerada um grande pecado e um ato de soberba é punido da mesma maneira como é cometido. Assim, ninguém considera algo vil servir à mesa, trabalhar na cozinha ou alhures, chamando isso, ao invés, uma aprendizagem; e dizem que o ato de caminhar é uma honra para o pé, como o ato de olhar é para o olho, assim, quem é designado para alguma função o faz como algo muito honrado, e não existem escravos, pois eles se bastam a si mesmos, aliás, sobram. Mas nós não somos assim, porque em Nápoles há trezentos mil habitantes e apenas cinquenta mil trabalham, ficando muito cansados e também aniquilados; os ociosos se arruínam também pelo ócio, pela avareza, pela lascívia e pela usura, corrompem muitas pessoas subjugando-as a servir e à pobreza, ou tornando-as partícipes dos seus vícios, de tal forma que falta o serviço público e são prejudicados o campo, a milícia e as artes, que resultam malfeitos. Mas entre eles, distribuindo-se os ofícios, as artes e as labutas entre todos, cada um não trabalha mais do que quatro horas por dia, o tempo que sobra é utilizado para aprender brincando, disputando, lendo, ensinando, caminhando, sempre com alegria. Não é costume praticar jogos em que os jogadores fiquem sentados, nem xadrez, nem dados, nem cartas ou semelhantes, mas sim a bola, o balão, o pião, a luta, a lança, o arco, o arcabuz.

Afirmam, ainda, que a grande pobreza torna os homens vis, astutos, ladrões, intrigantes, vagabundos, mentirosos, testemunhas falsas; e a riqueza torna os homens insolentes, soberbos, ignorantes, traidores, desafeiçoados, com a presunção de saber o que não sabem. No entanto, a comunidade torna a todos ricos e pobres: ricos porque possuem todas as coisas, pobres porque não se apegam a servir as coisas, mas todas as coisas servem a eles. Nisso, eles louvam muito as religiões da Cristandade e a vida dos apóstolos.

HOSPITALÁRIO – Esta é uma coisa bela e santa, mas o fato de ter mulheres em comum parece difícil de aceitar. São Clemente Romano fala também que as mulheres devem ser comuns, mas o comentário entende em relação ao obséquio, não à cama, e Tertuliano concorda com o comentário, pois os primeiros cristãos tinham tudo em comum, exceto as mulheres, que, ainda assim, foram comuns quanto ao obséquio.

GENOVÊS – Nada sei a esse respeito; sei somente que, na Cidade do Sol, eles têm as mulheres em comum para o obséquio e para a cama, mas nem sempre, e somente para gerar. E creio que eles possam se enganar, mas se apoiam em Sócrates, Catão, Platão e outros. Pode ser que um dia eles deixem esse costume, uma vez que nas cidades subjugadas a eles só há em comum as coisas, enquanto as mulheres são em comum apenas com relação ao obséquio e às artes, mas não à cama, atribuindo isso à imperfeição dos que não possuem a filosofia. No entanto, ficam observando os costumes de todas as nações na intenção de melhorar e, quando eles conhecerem as razões vivas do cristianismo comprovadas com milagres, concordarão com elas, porque são dulcíssimos. Mas até o momento eles vivem naturalmente sem a fé revelada, e nem podem exigir mais.

Além disso, é bonito que entre eles não há defeito que torne o homem ocioso, a não ser a idade decrépita, que só serve para dar conselhos. Mas quem é coxo serve às sentinelas com os olhos; quem não tem olhos serve para cardar a lã e preparar as plumas para os colchões; quem não tem mãos serve para outras atividades; e aqueles que só possuem um membro prestam seus serviços nas aldeias, e são bem aproveitados como espiões que avisam a república sobre todas as coisas.

HOSPITALÁRIO – Fale, agora, sobre a guerra, em seguida sobre as artes e a alimentação; depois me falará sobre as ciências e, enfim, sobre a religião.

GENOVÊS – O Poder tem sob suas ordens um oficial das armas, outro da artilharia, um da cavalaria, um dos engenheiros; e cada um desses tem sob suas ordens muitos outros chefes mestres daquela arte. Além disso, há os atletas que ensinam a todos a arte da guerra: eles são idosos, capitães prudentes, que exercitam os jovens, a partir dos doze anos, na arte militar, embora tenham sido instruídos por mestres inferiores na luta, na corrida e no arremesso das pedras. Agora estes [os atletas] ensinam a arte de ferir e de ganhar o inimigo, lutando com a espada, com a lança, com o arco, ensinam a cavalgar, a perseguir, a fugir, a guardar a ordem unida militar. E também as mulheres aprendem essas artes com suas mestras e seus mestres, para, em caso de necessidade, ajudar os homens nas guerras próximas da cidade, e, em caso de assalto, defender as muralhas. Por isso, sabem atirar com o arcabuz, preparar balas, lançar pedras, marchar contra o inimigo. Esforçam-se para afastar delas qualquer temor, e são submetidas a grandes penas aquelas que demonstram covardia. Não temem a morte, porque todos acreditam na imortalidade da alma e que, depois da morte, são acompanhados por espíritos bons e maus, de acordo com seus méritos. Embora tenham sido Brâmanes Pitagoristas, não acreditam na transmigração da alma, exceto por algum juízo de Deus. Não se abstêm de combater o inimigo bárbaro, que não merece ser homem.

A cada dois meses passam em revista o exército, e todo dia há o exercício das armas, seja no campo cavalgando, seja dentro da cidade, e uma aula de arte militar. Eles mandam ler sempre as histórias de César, de Alexandre, de Cipião e de Aníbal, e depois quase todo mundo expressa seu juízo a respeito, dizendo: "Aqui fizeram bem, ali se comportaram mal"; em seguida o mestre responde e dá a solução.

HOSPITALÁRIO – Contra quem fazem as guerras? E qual a causa das guerras, se são tão felizes?

GENOVÊS – Mesmo que nunca tivessem de entrar em guerra, eles se exercitam na arte da guerra e da caça, para não se tornarem preguiçosos e para que não sejam pegos de surpresa pelos acontecimentos. Além disso, na ilha há quatro reinos que têm muita inveja da felicidade deles, porque os povos gostariam de viver como os Solares, e prefeririam também estar sujeitos a estes do que aos seus próprios reis. Por essa razão, muitas vezes, é declarada guerra contra eles, alegando usurpações de fronteiras e de viver de modo ímpio porque não seguem as superstições dos Gentios, nem dos outros Brâmanes; muitas vezes, inclusive, movem guerra como rebeldes de quem já foram súditos. E, apesar disso tudo, sempre saem perdendo. Ora, esses Solares, logo que sofrem uma depredação, um insulto ou outra desonra, ou são os amigos deles a serem oprimidos, ou também são invocados por algumas cidades oprimidas como libertadores, eles se reúnem em Conselho e, antes, ajoelham-se diante de Deus e rezam, para que lhes inspire bons conselhos; depois examinam o mérito da questão e, por fim, declaram a guerra. Enviam um sacerdote chamado Forense, que pede aos inimigos para devolver o que foi tirado, ou para deixar a tirania; se eles recusam, declaram a guerra, invocando o deus das vinganças como testemunha contra quem está errado. Se eles protelarem o assunto, para dar a resposta e não ser enganados, concede-se uma hora de tempo, se for um rei; três horas, se for uma república; se estes persistirem contra a razão, declara-se a guerra. Após a declaração, o lugar-tenente do Poder executa as ordens e comanda sem conselho de outros; mas se for algo para ser decidido no momento, pergunta ao Amor, à Sabedoria e ao Sol. Expõe-se no grande Conselho, do qual participam todos os habitantes com mais de vinte anos de idade, e também as mulheres, e é declarada a justiça da causa pelo Pregador, sendo tudo colocado em ordem.

Cumpre saber que eles possuem todos os tipos de armas apropriadas em arsenais, e muitas vezes elas são utilizadas em guerras simuladas. Em todos os círculos, na parte externa dos muros, está posicionada a artilharia, como também os artilheiros preparados, e muitos outros canhões que levam para o campo de batalha, alguns de madeira e outros de metal, transportados em carros, enquanto outras munições são transportadas por mulas e comboios. Quando estão em campo aberto, fecham os comboios no meio e as artilharias combatem por muito tempo, retirando-se em seguida. O inimigo, acreditando no recuo, cai na armadilha porque eles, ao invés, formam duas alas, retomam o fôlego e as artilharias voltam a disparar, recomeçando o combate contra os inimigos desorientados. Costumam preparar os acampamentos como os Romanos, com cercas e valas ao redor, com muita rapidez. Há mestres para preparar os comboios, as artilharias e as obras. Todos os soldados sabem manejar a enxada e o machado. Há cinco, oito ou dez capitães do conselho de guerra e de estratégias que comandam seus batalhões de acordo com aquilo que planejaram juntos. Costumam levar consigo um batalhão de crianças a cavalo para aprender a arte da guerra e para que se acostumem, como os pequenos lobos, a ver sangue; quando há perigo, os meninos se retiram, juntamente com muitas mulheres. E depois da batalha essas mulheres e esses meninos começam a acariciar, medicar, servir, abraçar e confortar os guerreiros; e estes, para dar mostras de valentia às mulheres e aos filhos, lançam-se à luta. Nos assaltos, aquele que por primeiro sobe o muro, recebe depois da luta uma coroa de graminha, com uma salva de palmas das mulheres e dos meninos. Aquele que ajudar o companheiro recebe uma coroa cívica de carvalho; quem matar o tirano recebe como prêmio os ricos despojos, que leva ao templo, onde o Sol lhe dá o nome da empreitada.

Os cavaleiros usam uma lança e duas pistolas pendentes da sela do cavalo, de qualidade admirável, com o cano estreito e, por isso, podem perfurar qualquer armadura; eles têm também uma espécie de espada longa e pontiaguda. Outros portam a clava de ferro, e esses são chamados homens de arma porque, como uma armadura de ferro não pode ser transpassada pela espada ou pela pistola, sempre assaltam o inimigo com a clava, como fez Aquiles contra Cycnus, derrubando-o e jogando-o no chão. A clava pontiaguda tem duas correntes das quais pendem duas bolas de ferro que, girando-as, cercam o pescoço do inimigo, cingem-no, puxam e jogam no chão; para manusear a clava, não seguram as rédeas do cavalo com as mãos, mas com os pés, cruzando-as na sela e fixando-as na extremidade dos estribos; não aos pés, para não lhes impedir o movimento; os estribos têm uma esfera na parte externa do triângulo, onde o pé, torcendo nos lados, faz com que as esferas girem (porque estão afiveladas nos estribos), e assim puxam para si ou soltam o freio com prontidão admirável, e com a direita puxam para a esquerda e vice-versa. Nem os Tártaros entenderam esse segredo, porque não sabem manobrar a marcha do cavalo usando os estribos. Os soldados da cavalaria ligeira começam com as espingardas, depois é a vez dos lanceiros e dos fundeiros, que são muito valorizados. Eles costumam combater em fileiras cerradas, enquanto alguns avançam, outros retrocedem alternando posições; e as espadas são a última prova.

Em um momento posterior há os triunfos militares como faziam os Romanos, e mais bonitos ainda, inclusive com as súplicas de agradecimento. O capitão apresenta-se ao templo, onde são narradas as façanhas pelo poeta ou pelo historiador que o acompanhou. Em seguida, o Príncipe coroa o capitão, e dá alguns presentes ou algumas honras a todos os soldados que, por muitos dias, são dispensados dos trabalhos públicos. Mas eles não gostam disso, porque não sabem ficar sem fazer nada e, assim, ajudam os outros. Ao contrário, aqueles que perderam por sua própria culpa são recebidos com vitupério, e aquele que foi o primeiro a fugir não pode escapar da morte, a não ser quando todo o exército pede a graça pela sua vida, assumindo cada um dos soldados uma parte da pena. Mas essa indulgência é admitida poucas vezes, somente quando houver uma grande razão para isso. Aquele que não ajudou o amigo ou cometeu um ato vil é chicoteado; quem desobedeceu é colocado, apenas com um bastão nas mãos, para morrer no interior de um recinto com feras: se vencer os leões e os ursos, o que é quase impossível, recebe o perdão.

As cidades derrotadas ou que se submetem a eles colocam imediatamente em comum todas as coisas, e recebem os magistrados solares e a guarda, e, paulatinamente, vão se habituando aos costumes da Cidade do Sol, mestra deles, enviando seus filhos para nela aprender, sem nenhuma despesa.

Seria preciso muito tempo para eu lhe falar do mestre dos espiões, das sentinelas, de suas ordens dentro e fora da cidade, coisas que você pode imaginar, porque são escolhidos ainda quando crianças, de acordo com a inclinação e a constelação que foi vista no momento de seu nascimento. Desse modo, atuando segundo a sua propriedade natural, cada um cumpre bem aquele exercício e com prazer, porque é conatural a ele; o mesmo pode ser dito dos estratagemas e das outras funções. A cidade tem guardas nas quatro portas e nas muralhas externas do último círculo, de dia e de noite, sobre as torres e baluartes; e o círculo é vigiado durante o dia pelas mulheres e durante a noite pelos homens; fazem isso para não ficar preguiçosos e para os casos imprevisíveis. Fazem turnos de vigilância, como os nossos soldados, de três em três horas; de noite, começa a guarda.

Utilizam as caçadas como imagens de guerra, e, em todas as festas, realizam jogos a cavalo e a pé em praça pública; depois segue a música.

Perdoam de bom grado os inimigos e, depois da vitória, fazem-lhes benefícios. Se derrubam muralhas ou querem matar os chefes ou causar outra espécie de prejuízo aos vencidos, fazem tudo isso no mesmo dia; depois, tratam bem os derrotados, e dizem que não se deve fazer a guerra senão para tornar os homens melhores, não para exterminá-los. Se entre eles surgir alguma disputa por injúria ou por outra coisa, porque eles só fazem disputas por questões de honra, o Príncipe e seus magistrados punem o réu secretamente, se ele incorreu em injúria de fato depois das primeiras iras; se as injúrias forem de palavras, aguardam a guerra para dirimi-las, dizendo que a ira deve ser descontada contra os inimigos. E aquele que mais atos heroicos realizar na guerra é considerado digno de honra, e o outro cede. Mas nas questões da justiça existem as penas; mas não podem chegar a um duelo, e quem quiser mostrar-se melhor, deve fazer isso em guerra pública.

HOSPITALÁRIO – Que coisa bonita não fomentar as facções para prejudicar a pátria e para evitar as guerras civis, das quais nasce o tirano, como ocorreu em Roma e Atenas. Peço-lhe, agora, que me conte os artifícios deles.

GENOVÊS – Você já deve ter entendido que a arte militar, a agricultura e a pecuária é comum a todos os habitantes da Cidade do Sol; que cada um tem a obrigação de saber todas essas artes, e estas são as mais nobres entre eles; mas aquele que mais artes conhecer, mais nobre será e, ao exercer uma arte, o indivíduo é colocado no lugar mais apropriado. As artes mais trabalhosas e úteis recebem maior louvor, como a do ferreiro, a do fabricante; ninguém se recusa a exercê-las, mesmo porque desde a infância logo se vê a inclinação de cada um, e entre eles, pelo fato de existir na cidade a partilha dos trabalhos, ninguém faz um trabalho que possa destruir o indivíduo, mas contribua para mantê-lo. As artes que exigem menos esforço são exercidas pelas mulheres. As artes especulativas são de todos, e aquele que excele torna-se leitor; e isso é mais honrado que as artes mecânicas, porque se torna sacerdote. Todos devem saber nadar e, para tanto, há piscinas no lado externo das valas da cidade e, dentro dela, podem ser usadas as fontes.

O comércio tem pouca utilidade para eles, no entanto conhecem o valor das moedas e as fabricam para os seus embaixadores, a fim de que possam trocar a pecúnia com o alimento que não podem carregar. De todas as partes do mundo mandam vir comerciantes para escoar as coisas supérfluas, e não aceitam dinheiro, mas somente mercadorias que não possuem. Os meninos riem quando veem aqueles que dão muitas coisas por pouca prata, mas os velhos não. Eles não querem que escravos ou forasteiros infestem a cidade de maus costumes; no entanto, vendem aqueles que capturam em guerra ou mandam-nos para fora da cidade para cavar fossas ou fazer outros trabalhos cansativos, onde sempre vão quatro grupos de soldados para vigiar o território e aqueles que nele trabalham, saindo das quatro portas que têm estradas de tijolos até o mar para facilitar o transporte das coisas e a passagem dos forasteiros. Estes são tratados com muito carinho, recebem comida por três dias, os habitantes lavam-lhes os pés, mostram-lhes a cidade com sua organização e lhes dão lugar no Conselho e à mesa. Há homens encarregados em vigiá-los e, se eles quiserem se tornar cidadãos, são colocados à prova durante um mês nos campos, e outro mês na cidade, assim depois decidem e os recebem com certas cerimônias e juramentos.

A agricultura é muito valorizada: não há palmo de terra que não dê fruto. Observam os ventos e as estrelas propícias, e todos se dirigem aos campos preparados para arar, semear, capinar, ceifar, colher, vindimar, com músicas, trombetas e estandartes; e em pouquíssimas horas terminam todas as tarefas. Eles têm carros a vela que andam com a força do vento, e quando não há vento um animal puxa um grande carro, coisa bonita, e têm os guardas do território armados que caminham sempre pelos campos. Usam pouco estrume nas hortas e nos campos, dizendo que as sementes ficam podres e tornam a vida breve, assim como as mulheres que se embelezam, mas não são belas por natureza, e botam no mundo filhos fracos. Por isso, nem a terra embelezam, mas a trabalham bem, e possuem muitos segredos para a semente nascer logo e multiplicar-se, sem se perder. E têm um livro apropriado para esse exercício que se chama *Geórgicas*. Uma parte suficiente do território é arada, a outra serve para o pasto dos animais. Ora, a nobre arte de criar cavalos, bois, ovelhas, cães e toda espécie de animais domésticos tem grande prestígio entre eles, como ocorreu nos tempos antigos com Abraão; com técnicas mágicas estimulam o acasalamento entre os animais para que possam gerar bem, colocando na frente deles cavalos malhados, bois ou ovelhas; não deixam os garanhões soltos nos campos com as éguas, mas, no tempo oportuno, põem-nos diante das estrebarias campestres. Observam Sagitário em fase ascendente, em boa posição com Marte e Júpiter: para os bois, Touro; para as ovelhas, Áries. Eles possuem também bandos de galinhas, patos e marrecos sob a constelação de Plêiades, levados com prazer ao pasto pelas mulheres, nos arredores da cidade, nos lugares onde, à noite, são encerrados e onde elas podem preparar o queijo e laticínios, manteiga e coisas semelhantes. Muitos criam capões e castrados e cuidam do parto dos animais, e há um livro dessa arte que se chama *Bucólica*. Têm tudo em abundância, porque cada um quer ser o primeiro no trabalho, pela docilidade dos hábitos e pelo fato de o trabalho ser pouco e frutífero; e cada um deles que for chefe deste exercício é chamado Rei, dizendo que este é seu nome próprio, e não o de quem não sabe. É realmente surpreendente que as mulheres e os homens sempre andam em grupos, nunca sozinhos, obedecendo sempre ao chefe sem nenhum aborrecimento, porque o consideram um pai ou irmão mais velho.

Eles têm também as montanhas e muitas vezes se exercitam na caça aos animais.

A arte de navegar é muito apreciada, e eles têm alguns navios que navegam também sem vento e sem remos, e outros com vento e remos. Conhecem muito bem as estrelas, os fluxos e refluxos do mar, e navegam para conhecer povos e países. Não fazem mal a ninguém e não combatem sem ser agredidos. Dizem que o mundo deverá se adaptar a viver como eles, mas procuram sempre saber se outros vivem melhor que eles. Estabeleceram uma confederação com os Chineses e com vários povos insulares e continentais, como Sião, Cochinchina e Calicute, com a finalidade de observar e investigar seu modo de vida e de governo.

Eles possuem também grandes segredos na produção de fogos de artifício, utilizados para as guerras marítimas e terrestres, e estratagemas, por isso nunca deixam de vencer.

HOSPITALÁRIO – O que e como eles comem? Quanto tempo eles vivem?

GENOVÊS – Eles dizem que, primeiro, deve-se ter em vista a vida do todo e depois das partes. Por isso, quando construíram a cidade, colocaram os signos fixados nos quatro cantos do mundo: o Sol ascendente em Leão, Júpiter com Leão a oriente do Sol, Mercúrio e Vênus em Câncer, mas próximos, como guarda-costas astrológico; Marte na nona posição em Áries, que de sua casa olhava com aspecto feliz o ascendente e a direção, e a Lua em Touro, que olhava com bom aspecto Mercúrio e Vênus e não projetava aspecto quadrado ao Sol. Saturno estava entrando na quarta casa sem fazer mau aspecto a Marte e ao Sol. A Sorte com a Cabeça de Medusa[4] estava quase na décima casa, onde eles se desejam senhoria, firmeza e grandeza. E Mercúrio, estando em bom aspecto com relação à Virgem e na triplicidade de sua abside, iluminado pela Lua, não pode estar triste; mas, sendo jovial, o conhecimento deles não implora; pouco se importam de esperá-lo em Virgem e em sua conjunção.

Ora, os Solares se alimentam de carne, manteiga, mel, queijo, tâmaras e ervas de diferentes espécies; e antigamente eles não queriam matar os animais, porque isso lhes parecia uma crueldade; depois, vendo que era uma crueldade matar também as ervas que têm sensação, para não morrerem de fome, consideraram que as coisas ignóbeis foram criadas para as nobres, e assim passaram a comer de tudo. No entanto, não matam de bom grado os animais úteis, como bois e cavalos. Sabem distinguir, contudo, entre os alimentos saudáveis e nocivos, e para isso recorrem à medicina: uma vez comem carne, outra vez comem peixe, outra ainda se alimentam de ervas, e depois voltam a

---

4. A *Cabeça de Medusa* (Algol) é uma estrela da Constelação de Perseu [N.T.].

comer carne, em rodízio, para não sobrecarregar nem extenuar a natureza. Os velhos recebem os alimentos de fácil digestão e comem pouco, três vezes por dia; as crianças fazem quatro refeições por dia e a comunidade, duas. Vivem pelo menos cem anos, cento e setenta quando muito, ou duzentos, raríssimas vezes. São muito moderados quanto à bebida: o vinho não é oferecido às crianças com menos de dezenove anos de idade, a não ser em caso de grande necessidade, e depois bebem-no com água, e assim as mulheres; os velhos com mais de cinquenta anos bebem vinho puro. Comem aquilo que é mais útil e apropriado, de acordo com a estação do ano, seguindo aquilo que é prescrito pelo médico chefe. Utilizam muitos aromas: de manhã, quando se levantam, penteiam-se e todos se lavam com água fria; depois, mastigam manjerona, salsa ou menta, e a esfregam nas mãos, enquanto os velhos usam incenso; em seguida, voltando-se para o Oriente, fazem uma oração muito breve, como o *Pater Noster*, e saem; alguns vão servir os velhos, outros vão para o coro, outros ainda vão preparar as coisas comuns; depois assistem às primeiras aulas do dia, a seguir vão ao templo, depois saem para fazer os exercícios; em seguida, descansam um pouco, sentados, e vão comer.

No meio deles não há gota, nem quiragra, nem catarros, nem dor ciática, nem dores de cólicas, nem flatulências porque esses males provêm da destilação e do excesso, e eles purgam, por meio de exercícios, todos os gases e humores. Consideram vergonhoso ver alguém cuspir, dizendo que isso nasce do pouco exercício, da preguiça ou do comer desmedido. Sofrem, contudo, de inflamações e espasmos secos que curam com bons alimentos e banhos; curam a febre alta com banhos doces e laticínios, estando em campos agradáveis e praticando bons exercícios. A doença venérea não pode prosperar entre eles porque lavam os corpos frequentemente com vinhos e óleos aromáticos; e o suor também elimina o vapor infectado que apodrece o sangue e a medula. Eles não ficam tuberculosos, por não haver destilação que desça no peito, e menos ainda asma, porque é necessária densidades de humores para causá-la. Curam as febres ardentes com água fria e as febres efêmeras somente com aromas e com caldos gordurosos, ou com o sono ou, também, com música e alegria; as febres terçãs são curadas com retirada de sangue, com ruibarbo ou atrativos semelhantes, bebendo água de raízes de ervas purgativas e azedas. Raramente tomam laxante. As febres quartãs podem ser facilmente curadas por meio de sustos repentinos, por meio de ervas semelhantes ao humor ou opostas à quartã, e me mostraram certos segredos admiráveis dessas ervas. Mostram muita preocupação com as febres contínuas e, para curá-las, observam as estrelas e as propriedades das ervas, e fazem orações a Deus. As febres quintãs, oitãs, setenas são pouco encontradas, pois não há grandes humores que possam causá-las. Usam os banhos e as unções com óleos conforme os antigos costumes, e neles encontraram muito mais segredos, para ficarem limpos, saudáveis e fortes. Esforçam-se com esses e outros modos para ajudar uns aos outros na luta contra a epilepsia, doença de que sofrem com muita frequência.

HOSPITALÁRIO – Sinal de grande engenho, pois Hércules, Sócrates, Maomé, Scoto e Calímaco padeceram dessa doença.

GENOVÊS – Eles se ajudam com orações aos céus, com aromas e com substâncias que confortam a cabeça, coisas ácidas e excitantes, caldos gordurosos com flores de farinha. São inigualáveis no tempero e no preparo dos alimentos: colocam noz-moscada, mel, manteiga e vários aromas, que dão um sabor extremamente agradável. Não bebem água gelada pela neve, como os Napolitanos, tampouco quente, como os Chineses, porque não têm necessidade de combater os humores grandes para favorecer o calor natural, mas o confortam com alho amassado e vinagre, tomilho, menta, manjericão, quando é verão e quando estão cansados; não combatem contra o excesso de calor provocado pelos aromas, porque não infringem a regra. Eles têm, enfim, um segredo para rejuvenescer a cada sete anos, sem aflição, com uma bela arte.

HOSPITALÁRIO – Você ainda não falou sobre as ciências e nem sobre os magistrados.

GENOVÊS – Sim, mas como você é muito curioso, vou lhe dizer ainda outras coisas. A cada lua nova e cada lua cheia convocam o Conselho depois do sacrifício, do qual participam todos os maiores de vinte anos, e pergunta-se a cada um o que falta na cidade, qual magistrado é bom e qual é ruim. A cada oito dias se reúnem todos os magistrados, que são o Sol, Pon, Sir e Mor; e cada um deles tem três suboficiais, que são treze, e cada um destes três outros, perfazendo um total de quarenta. E aqueles têm os ofícios das artes que estão subordinados a eles: o Poder tem as milícias, a Sabedoria tem as ciências, o Amor tem a alimentação, a geração, o vestuário e a educação; e os mestres de cada grupo, ou seja, os chefões, decuriões, centuriões, tanto das mulheres quanto dos homens. Tratam daquilo que o público necessita, elegem os magistrados, previamente nomeados pelo grande Conselho. Depois, ao término de cada dia, Sol e os três Príncipes se consultam sobre as coisas necessárias, confirmam e executam aquilo que foi tratado na eleição e as outras necessidades. Não lançam mão do sorteio, a não ser quando há dúvidas sobre a parte que deve ser escolhida. Estes magistrados podem ser substituídos de acordo com a vontade do povo, mas não os primeiros quatro, a não ser quando eles mesmos, por um conselho feito entre si, cedem o lugar a quem reconhecem ser mais sábio e com engenho mais puro, e são tão dóceis e bons, que de bom grado cedem o lugar a quem sabe mais, aprendendo com ele. Mas isso acontece muito raramente.

Os principais chefes das ciências estão sujeitos à Sabedoria, outros ao Metafísico que é o Sol, o qual comanda, como arquiteto, todas as ciências, e sente vergonha quando ignora alguma coisa do mundo humano. Sob as ordens dele estão o Gramático, o Lógico, o Físico, o Médico, o Político, o Econômico, o Moralista, o Astrônomo, o Astrólogo, o Geômetra, o Cosmógrafo, o Músico, o Perspectivo, o Aritmético, o Poeta, o Orador, o Pintor, o Escultor. Sob as ordens do Amor estão o Ginecólogo, o Educador, o Tecelão, o Agrícola, o Superintendente dos rebanhos, o Pastor, o Superintendente da criação dos animais domésticos, o Grande Cozinheiro. Sob o comando do Poder estão o Estrategista, o Ferreiro, o Armeiro, o Argentário, o Monetário, o Engenheiro, o Mestre espião, o Mestre da cavalaria, o Gladiador, o Artilheiro, o Fundeiro, o Justiceiro. E todos esses têm os próprios artífices submetidos a eles.

Ora, você tem que saber que cada um é julgado pelo chefe da sua arte, de tal forma que todo chefe de arte é juiz e pune com o exílio, o chicote, o vitupério, a exclusão da mesa comum, a proibição de ir à igreja e de falar com as mulheres. Mas quando ocorre um caso injurioso, como o homicídio, é punido com a morte, olho por olho, nariz por nariz, paga-se a pena proporcionalmente quando o caso é premeditado. Quando é uma rixa ocasional, a sentença é mitigada, não pelo juiz, porque ele condena logo de acordo com a lei, mas pelos três Príncipes. Apela-se também ao Metafísico para obter graça, não pela justiça, pois somente ele pode conceder a graça. Eles não têm prisões, a não ser uma torre para alguns inimigos. O processo não é escrito, mas em presença do juiz e de Poder são pronunciados os prós e contras; e logo o juiz condena; em caso de apelação, o Poder condena no dia seguinte; no terceiro dia, o Sol condena, ou depois de muitos dias absolve com o consentimento do povo. E ninguém pode ser executado, a não ser pelas mãos do povo; isso porque eles não têm carrasco, mas todos apedrejam ou queimam o condenado, fazendo com que ele escolha a pólvora de arma de fogo para morrer logo. E todos choram e rezam a Deus para que aplaque sua ira, condoendo-se pelo fato de ter cortado um membro infectado do corpo da república; e fazem com que ele mesmo aceite a sentença, conversando com ele até que diga, convencido, que a merece; mas quando é algo contra a liberdade ou contra Deus ou contra os supremos magistrados, é executado sem misericórdia. Somente esses são punidos com a morte; aquele que deve morrer pode apresentar todas as razões sobre por que não deve morrer, revelando os pecados dos outros e dos magistrados, afirmando que eles merecem castigo pior: se ele tiver razão, não é mandado para o exílio e a cidade é purificada com orações, sacrifícios e correções, mas os citados pelo culpado não sofrem punição.

As faltas por fraqueza e por ignorância são punidas somente com vitupérios e fazendo com que o faltoso aprenda a se conter quanto à arte na qual pecou, ou outra, e são tratados de uma forma que parecem ser um membro do outro.

Aqui cumpre saber que se um pecador, sem aguardar a acusação, for sozinho até aos magistrados acusando-se e pedindo correção, eles o liberam da pena do pecado oculto, atenuando-lhe a pena, se ele não foi acusado.

Evitam a calúnia para não sofrerem a mesma pena. E como estão quase sempre acompanhados, são necessárias cinco testemunhas para convencer; caso contrário, o réu fica livre após o juramento. Mas se for acusado mais duas outras vezes, por duas ou três testemunhas, pagará a pena em dobro.

As leis são muito poucas, todas elas escritas numa placa de cobre na porta do templo, ou seja, nas colunas, onde estão escritas em resumo todas as essências das coisas: o que é Deus, o que é anjo, o que é o mundo, a estrela, o homem etc., com muito tino, e a definição de cada virtude. Os juízes de cada virtude, quando julgam, têm o assento naquele lugar, e dizem: "Pois bem, você pecou contra esta definição: leia"; e, assim, depois condena o culpado por ingratidão ou por preguiça ou por ignorância; e as condenações são verdadeiros remédios, mais do que penas, e de grande suavidade.

HOSPITALÁRIO – Agora você precisa falar dos sacerdotes, dos sacrifícios e da crença deles.

GENOVÊS – O Sol é o sumo sacerdote e todos os magistrados são sacerdotes. O papel dos chefes é purificar as consciências. Para tanto, todos se confessam a eles, e estes aprendem que tipos de pecados reinam. E confessam aos três magistrados maiores tanto os próprios pecados como os dos outros, sem mencionar os pecadores, e depois os três magistrados se confessam ao Sol. Ele conhece que espécie de erros são praticados e se ocupa em prover às necessidades da cidade, oferecendo a Deus sacrifícios e orações, confessando a Ele seus pecados e aqueles de todo o povo publicamente no altar, toda vez que for necessário para corrigi-los, sem mencionar nenhum. E assim absolve o povo, admoestando para que evite esses erros, confessando os seus publicamente e, em seguida, oferecendo sacrifício a Deus para que absolva, ensine e defenda toda a cidade. O sacrifício é este: o Sol pergunta ao povo quem quer se oferecer em sacrifício por todos os membros da comunidade, assim um dos melhores se sacrifica. O sacerdote o põe sobre uma mesa, segurada por quatro cordas que perpassam quatro roldanas presas na abóbada e, após fazer a oração a Deus para que receba aquele nobre sacrifício humano e voluntário (não de animais involuntários, como costumam fazer os Gentios), manda puxar as cordas. O voluntário é levantado até o alto da pequena abóbada e aí começa a orar, um pouco de comida lhe é servida até a expiação da cidade. E ele, com orações e jejuns, reza a Deus para que receba seu sacrifício; assim, depois de vinte ou trinta dias, aplacada a ira de Deus, volta para baixo pelas partes externas ou se torna sacerdote, e ele é sempre honrado e benquisto, porque se reputou que estivesse morto, mas Deus não quer que ele morra.

Além disso, há vinte e quatro sacerdotes que vivem no alto do templo, os quais, à meia-noite, meio-dia, de manhã e à tarde cantam salmos a Deus. O ofício deles é olhar as estrelas e observar com astrolábios todos os seus movimentos e os efeitos que produzem; por essa razão eles sabem em que região houve mudança e poderá ainda haver. Eles dizem a hora da geração, os dias para a semeadura e para a colheita, servem como mediadores entre Deus e os homens; e, na maioria das vezes, eles se tornam Sóis, escrevendo grandes coisas e investigando as ciências. Eles só descem para comer, não mantêm relações com mulheres, exceto algumas vezes como remédio do corpo. Todo dia o Sol sobe e fala com eles sobre aquilo que investigaram em benefício da cidade e de todas as nações do mundo. No templo, abaixo deles, sempre deve haver um homem que faça a oração a Deus, e a cada hora é substituído, como nós fazemos a oração das quarenta horas, chamando-se isso de sacrifício contínuo.

Depois das refeições rendem graças a Deus com música e em seguida cantam as façanhas dos heróis cristãos, hebreus, pagãos, de todas as nações, por diversão e prazer. Cantam hinos de amor, de sabedoria em homenagem a todas as virtudes. Cada um deles toma a mulher que mais ama e todos fazem algumas danças debaixo dos claustros, muito bonitos. As mulheres usam cabelos compridos, engrinaldados e unidos com um nó no meio da cabeça com uma trança. Os homens usam somente um topete de cabelos, com um véu e um barrete. No campo usam chapéus, em casa barretes brancos, vermelhos ou de várias cores, de acordo com o ofício e a arte que realizam, e os magistrados usam barretes maiores e mais pomposos.

São quatro as coisas principais para eles, ou seja, quando o sol entra em Áries, em Câncer, em Libra e em Capricórnio; eles comemoram isso com belas e sábias representações; em cada conjunção e oposição da lua celebram determinadas festas. Nos dias em que fundaram a cidade e quando venceram, comemoram também com cantos de vozes femininas, com trombetas, tambores e tiros de artilharia; e os poetas cantam os louvores dos mais virtuosos. Mas quem mentir durante um louvor é punido: não pode ser considerado poeta quem lança mão da mentira no meio deles, e dizem que essa licença é a ruína do mundo, pois tira o prêmio das virtudes e o dá a outrem por medo ou adulação.

Não erigem estátuas a ninguém, a não ser depois da morte; mas em vida ainda inscrevem no livro dos heróis aqueles que descobriram novas artes e segredos importantes, ou aqueles que fizeram um grande benefício ao povo, na guerra ou na paz.

Os mortos não são enterrados, mas sim queimados, para evitar a peste e para se converterem em fogo, coisa tão nobre e viva que vem do sol e para ele retorna, e para que não haja suspeita de idolatria. Há apenas pinturas ou estátuas de grandes homens, aquelas que admiram as mulheres formosas, para que procriem uma boa prole.

Fazem suas orações voltados para os quatro cantos do mundo: de manhã se voltam primeiro para o oriente, depois para o ocidente, depois para o sul, enfim para o norte; à noite, ao contrário, primeiro para o ocidente, depois para o oriente, depois para o norte e, enfim, para o sul. E repetem só um verso, pedindo um corpo são e uma mente sã para eles e para todos os povos, além da bem-aventurança, concluindo: "como Deus achar melhor". A oração mais intensa e longa é feita ao céu; no entanto, o altar é redondo e dividido em forma de cruz, por onde entra o Sol depois das quatro orações, e reza olhando para o alto. Isso é feito como um grande mistério. As vestes pontificais são magníficas tanto por sua beleza como por seu significado, como aquelas de Aarão[5].

---

5. "Membro da tribo de Levi, irmão de Moisés e de Maria (Ex 4,14; 15,20). Foi um notável colaborador de Moisés (17,8-15; 24,1-11), seu porta-voz perante os israelitas e o faraó (4,14-16.27-30; 5,1-5). Foi pecador, por isso seu sacerdócio foi caduco (32,1-6.25-29; Nm 12,1-13; At 7,39-41; Hb 7,11-14). A tradição sacerdotal vê nele o primeiro sumo sacerdote (Ex 29,1-30) e o antepassado da classe sacerdotal (28,1; Lv 1,5). Dentro da tribo de Levi, Aarão e seus descendentes concentram em si o sacerdócio (Lv 13–14; Nm 18,1-28; Ex 30,19-20)" [Disponível em http://www.bibliacatolica.com.br/dicionario-biblico/1/ – Acesso em 15/03/2014 [N.T.].

Dividem o tempo de acordo com o ano tropical e não sideral[6], mas sempre observam em quanto tempo um ano antecipa o outro. Acreditam que o sol se põe e, fazendo círculos cada vez mais estreitos, chega aos trópicos e aos equinócios, mais rápido do que no ano anterior; ou melhor, parece chegar, porque os olhos, vendo-o mais baixo e de viés, veem que ele chega antes e de forma oblíqua. Medem os meses pela lua e o ano pelo sol, mas não conciliam esta com aquele até os dezenove anos, quando também a cabeça do dragão[7] termina seu curso: com isso eles fizeram uma nova astronomia. Louvam Ptolomeu e admiram Copérnico, embora antes deste tenham admiração por Aristarco e Filolau, mas dizem que um faz as contas com as pedras, e o outro com as favas[8], mas ninguém chega ao mesmo resultado, e pagam o mundo com fichas que não são de ouro. Os habitantes da Cidade do Sol, contudo, procuram muito sutilmente estudar esse assunto, porque o importante, para eles, é saber como é feito o mundo, se perecerá e quando, e a substância das estrelas e quem vive nelas. Acreditam ser verdadeiro aquilo

---

6. "O ano tropical é medido pela observação dos equinócios e dos solstícios; o ano sideral é medido pela observação do itinerário do sol entre as constelações" (BOBBIO, apud CAMPANELLA, T. *La Città del Sole*. Milão: Feltrinelli, 1983, p. 69 [Edição crítica de Adriano Seroni]) [N.T.].

7. "Chamava-se dragão a figura descrita pela intersecção das órbitas do sol e da lua, por causa de sua forma similar à de uma serpente, cujo ventre é maior do que a cabeça e a cauda. Dos dois pontos de intersecção, hoje conhecidos como nó ascendente e nó descendente, aquele do qual a lua sobe para o norte era chamado cabeça do dragão, aquele do qual desce para o sul era chamado cauda do dragão" (BOBBIO, apud CAMPANELLA, T. *La Città del Sole*. Milão: Feltrinelli, 1983, p. 69-70 [Edição crítica de Adriano Seroni]) [N.T.].

8. Metáfora extraída do jogo de cartas e de dados em que pedras e favas têm função de fichas [N.T.].

que Cristo[9] disse a respeito dos sinais nas estrelas, no sol e na lua, que aos insensatos não parecem verdadeiros, mas o fim das coisas virá como um ladrão à noite. Por esse motivo esperam a renovação do século e talvez seu fim. Dizem que é uma grande dúvida saber se o mundo foi feito do nada ou das ruínas de outros mundos ou ainda do caos, mas parece verossímil que tenha sido feito, aliás, foi certamente. São inimigos de Aristóteles e o chamam de pedante.

Honram o sol e as estrelas como coisas vivas e estátuas de Deus e templos celestes; mas não os adoram, honrando mais o sol. Nenhuma criatura é digna de adoração, a não ser Deus; a Ele servem sob a insígnia do sol, que é imagem e rosto de Deus, de onde vem a luz, o calor e todas as outras coisas. O altar é feito como um sol e os sacerdotes rezam a Deus no sol e nas estrelas, como nos altares, e no céu, como no templo; eles chamam os anjos bons que estão nas estrelas, suas casas vivas, como intercessores, e Deus mostrou suas belezas no céu e no sol, como seu troféu e estátua.

Negam os excêntricos e os epiciclos[10] de Ptolomeu e de Copérnico; afirmam que há um único céu e que os planetas se movem por si e se levantam, quando se unem ao sol pela luz maior que recebem, e se abaixam nas quadraturas e nas oposições para se aproximar dele. E a lua em conjunção e em oposição se ele-

---

9. Cf. Mt 24,29; Mc 13,24; Lc 21,25 [N.T.].

10. Excêntrico: no sistema ptolemaico, o círculo em que o centro descrevia um movimento uniforme por um móvel fictício em torno do qual o planeta realizava sua órbita; epiciclo: no sistema geocêntrico de Ptolomeu, órbita circular que um planeta descreveria enquanto o centro dessa órbita descreveria outra, também circular ao redor da Terra [Disponível em http://aulete.uol.com.br – Acesso em: 21/03/2014] [N.T.].

va para ficar sob o sol e receber a luz nesses lugares que a sublima. E por isso as estrelas, apesar de irem sempre de leste para oeste, ao se elevar parecem andar para trás; e assim podem ser vistas, porque o céu estrelado corre velozmente em vinte e quatro horas, e elas, caminhando menos a cada dia, ficam mais atrás; desse modo, sendo ultrapassadas pelo céu, parecem retornar. E quando estão no lado oposto do sol, fazem um círculo breve por baixo, porque se inclinam para pegar a luz dele e, no entanto, caminham para frente: quando estão emparelhados com as estrelas fixas são chamadas estacionárias; quando são mais velozes, são chamadas retrógradas, de acordo com os astrólogos populares; quando são menos velozes, são chamadas diretas. Mas a lua, atrasadíssima em conjunção e em oposição, não parece retornar, mas somente avançar um pouco adiante, porque o primeiro céu não é muito mais rápido do que ela. Então, há muita luz acima ou abaixo, e por esse motivo não parece retrógrada, mas apenas atrasada atrás e veloz na frente. E assim se vê que não são necessários nem epiciclos nem excêntricos para fazê-las levantar e retroceder. É verdade que em algumas partes do mundo há concordância sobre as coisas supracelestes e que estão fixas, mas se diz que se elevam no plano excêntrico.

Do sol explicam a causa física, que ao norte se levanta para contrastar a terra, onde ela tomou força, enquanto ele surgiu ao sul, quando foi o princípio do mundo. Desse modo, é preciso dizer que o mundo foi feito em setembro, como excogitaram os antigos Hebreus e Caldeus, mas não os modernos: por isso, levantando-se, está mais dias no norte do que no sul, e parece subir no plano excêntrico.

Eles consideram dois princípios físicos: o sol, pai, e a terra, mãe. O ar é o céu impuro, o fogo provém do sol, o mar é o suor da terra liquefeita pelo sol e o ar se une com a terra, como o sangue une o espírito com o corpo humano. O mundo é um grande animal, e nós estamos dentro dele, como os vermes em nosso corpo. Porém, nós pertencemos à providência de Deus e não ao mundo e às estrelas, porque, com relação ao mundo e às estrelas, somos apenas contingentes; mas com relação a Deus, do qual o mundo e as estrelas são instrumentos, fomos criados com presciência e com providência; por isso somente a Deus temos a obrigação de reconhecê-lo como senhor e pai de tudo.

Acreditam firmemente na imortalidade da alma e que, depois da morte, é acompanhada por espíritos bons ou maus, de acordo com o mérito. Mas eles não têm certeza sobre os lugares das penas e dos prêmios, parecendo muito razoável que seja o céu e os lugares subterrâneos. Eles também têm muita curiosidade em saber se essas coisas são eternas ou não. Além disso, eles têm certeza de que há anjos bons e maus, como acontece entre os homens, mas do que haverá de acontecer com estes, esperam um aviso do céu. Duvidam que existam mundos além do nosso, mas acham uma loucura dizer que não há nada, porque o nada não é nem dentro, nem fora do mundo, e Deus, ente infinito, não admite o nada consigo.

Admitem princípios metafísicos das coisas: o ente, que é Deus, e o nada, que é ausência de ser, como condição sem a qual nada se realiza: porque não se faria se ele fosse, portanto, não era o que se faz. Da tendência ao nada nasce o mal e o pecado, porém o pecador se diz aniquilar-se, e o pecado tem causa deficiente e não eficiente. A deficiência é a mesma coisa que falta, ou seja, falta de poder ou de saber ou de querer, e nesta última colocam o pecado, porque quem pode e sabe fazer bem, há de querer, já que a vontade nasce deles e não o contrário. Aqui você se surpreende que eles adorem Deus como Trindade, dizendo que é supremo Poder, do qual procede a suprema Sabedoria e, de ambos, o supremo Amor. Mas eles não conhecem as pessoas distintas e denominadas como nós conhecemos, porque não tiveram a revelação, mas sabem que em Deus há processão e relação de si para si, e assim todas as coisas são compostas de poder, sabedoria e amor, enquanto possuem o ser; e são compostas de impotência, ignorância e desamor, enquanto dependem do não ser. E pelas primeiras adquirem mérito, pelas segundas pecam, ou com pecado de natureza nas primeiras, ou com pecado de arte em todas. E assim a natureza particular peca ao fazer monstros por impotência ou ignorância. Mas todas essas coisas são entendidas pelo Deus potentíssimo, sapientíssimo e ótimo; portanto, nele nenhum ente peca e fora dele, sim; mas não se sai dele, a não ser por nossa causa, não por ele, porque em nós há a deficiência. Por isso o pecado seria um ato feito por Deus somente se tivesse ser e eficiência; mas, sendo esse pecado caracterizado essencialmente pelo não ser e pela deficiência, não pode ter sido consequentemente feito por Deus, mas somente por nós, que tendemos ao não ser e à deficiência (ou desordem).

HOSPITALÁRIO – Oh, como são argutos!

GENOVÊS – Oh! Se eu tivesse lembrado e não tivesse pressa e medo, revelar-lhe-ia muitas coisas, mas vou perder o navio se não sair agora.

HOSPITALÁRIO – Por favor, diga-me só isto: O que dizem do pecado de Adão?

GENOVÊS – Eles confessam que no mundo há muita corrupção, que os homens se governam loucamente e não com a razão, que os bons sofrem e os maus governam, embora chamem de infelicidade a vida deles, porque é aniquilar-se o fato de mostrar-se o que não se é, ou seja, ser rei, ser bom, ser sábio e não sê-lo de verdade. Por isso argumentam que houve uma grande desordem nas coisas humanas, e estavam por afirmar com Platão que os céus antes giravam a partir do ocaso, onde agora está situado o oriente, e depois mudaram. Disseram também que pode ser que alguma virtude inferior governe o mundo, e a primeira permite isso, mas acham isso também uma loucura. Loucura maior é dizer que, primeiro, Saturno governou bem, depois Júpiter e, em seguida, os outros planetas; mas confessam que a idade do mundo segue a ordem dos planetas, e acreditam que as mutações dos astros a cada mil ou mil e seiscentos anos transformem o mundo. E parece que nossa época seja a de Mercúrio, se bem que as grandes conjunções[11] a modifiquem, e as anomalias[12] possuam uma grande força fatal.

Finalmente, dizem que feliz é o cristão que se contenta em acreditar que tamanha desordem tenha ocorrido pelo pecado de Adão, e acreditam que os pais transmitem aos filhos mais o mal da pena do que da culpa. Mas a culpa retorna dos filhos ao pai, porque negligenciaram a geração, fizeram-na fora do tempo e do lugar, em pecado e sem escolha dos pais, descui-

---

11. *"Grandes conjunções*: encontros dos planetas que indicam acontecimentos extraordinários". Cf. nota 133 da edição crítica italiana. Op. cit., p. 74 [N.T.].

12. "A *anomalia* é um termo astrológico (eclipses, cometas etc.)". Cf. nota 134 da edição crítica italiana. Op. cit., p. 74 [N.T.].

dando da educação porque foram mal doutrinados. Porém, dão muita atenção a esses dois pontos, ou seja, à geração e à educação, e dizem que a pena e a culpa, tanto dos pais como dos filhos, redundam em prejuízo para a cidade; no entanto, não se veem bem e parece que o mundo se governe ao acaso. Mas quem analisa a construção do mundo, a anatomia do homem (como eles fazem com os condenados à morte, anatomizando-os), dos animais e das plantas, e a utilização de suas partes e partículas, é forçado a confessar em voz alta a providência de Deus. No entanto, o homem deve dedicar-se muito à verdadeira religião e honrar seu autor, e isso não pode fazer bem aquele que não investiga suas obras e não se põe a filosofar de modo correto, e aquele que não observa suas leis santas: "Não faça aos outros aquilo que você não quer para você mesmo, e aquilo que você quer, faça-o aos outros". Disso segue que se nós procuramos honra dos filhos e das pessoas, aos quais damos pouco, muito mais nós devemos a Deus, de quem tudo recebemos e em quem nos encontramos totalmente. Sempre seja louvado.

HOSPITALÁRIO – Se estas pessoas que seguem somente a lei natural estão tão próximas do cristianismo, que não acrescenta nada à lei natural a não ser os sacramentos, eu deduzo que a lei verdadeira é a lei cristã e que, eliminados os abusos, ela dominará o mundo. É verdade que os Espanhóis descobriram o resto do mundo, embora o primeiro descobridor tenha sido Colombo, genovês como vocês, para unir tudo sob uma única lei. Esses filósofos, escolhidos por Deus, serão testemunhas da verdade. Eu vejo que nós não sabemos aquilo que nós próprios fazemos, mas somos instrumentos de Deus. Aqueles vão procurando novos países por ambição de dinheiro, mas Deus visa um fim mais elevado. O sol procura destruir a terra, para que não produza plantas e homens, mas Deus se serve deles. Seja louvado.

GENOVÊS – Oh! Se você soubesse o que dizem por meio da astrologia e por meio de nossos próprios profetas e dos profetas hebreus e de outros povos, deste nosso século, que tem mais história em cem anos do que teve o mundo em quatro mil. E que muito mais livros foram escritos nesses cem anos do que em cinco mil! Quantas invenções maravilhosas, o ímã, a imprensa, os arcabuzes, grandes sinais da união do mundo; e como, estando na triplicidade da quarta abside de Mercúrio, no tempo em que as grandes conjunções se faziam em Câncer, fez inventar estas coisas sob a influência da Lua e de Marte, que naquele signo favoreceram novas navegações, novos reinos e novas armas. Mas, entrando a abside de Saturno em Capricórnio, a de Mercúrio em Sagitário, a de Marte em Virgem, e as grandes conjunções voltando à triplicidade primeira depois da aparição da estrela nova em Cassiopeia[13], haverá uma grande e nova monarquia com a reforma das leis e das artes, haverá profetas e renovação. E dizem que isso será de grande utilidade para os cristãos; mas antes é preciso extirpar e limpar, para depois construir e plantar.

Tenha paciência, pois tenho muito que fazer.

Saiba, porém, que encontraram a arte de voar, a única que falta ao mundo, e aguardam um instrumen-

---

13. A estrela nova a que se refere Campanella foi descoberta, em novembro de 1572, pelo astrônomo dinamarquês Tycho Brahe (1546-1601) na Constelação de Cassiopeia. De acordo com a crença da época, essa estrela era considerada anunciadora de eventos extraordinários. Cf. nota 136, da edição crítica italiana. Op. cit., p. 76 [N.T.].

to para ver as estrelas escondidas e outro instrumento para poder ouvir a harmonia dos movimentos dos planetas.

HOSPITALÁRIO – Oh! oh! oh! Estou gostando disso. Mas Câncer é signo feminino de Vênus e da Lua, e o que pode fazer de bom?

GENOVÊS – Eles dizem que a mulher traz fecundidade às coisas nos céus e virtude menos prepotente em relação ao nosso domínio. Por isso se vê que neste século reinaram as mulheres, como as Amazonas entre a Núbia e a Monomotapa[14], e entre os Europeus: A Vermelha[15] na Turquia, Bona na Polônia, Maria na Hungria, Elisabete na Inglaterra, Catarina na França, Margarida nos Países Baixos, Bianca na Toscana, Maria na Escócia, Camila em Roma e Isabel na Espanha, a

---

14. Território da África Austral, explorado pelos europeus na década de 1560. Cf. nota 139, da edição crítica italiana. Op. cit., p. 76 [N.T.].

15. *A Vermelha* é *Roxelane* (1505-1558), esposa de Solimão I; as outras mulheres são na sequência: *Bona Sforza* (1494-1557), esposa de Sigismundo I, rei da Polônia; *Maria de Habsburgo* (1505-1558), irmã de Carlos V e esposa de Luís II, rei da Hungria e da Boêmia; *Elisabete Tudor* (1533-1603), rainha da Inglaterra e da Irlanda; *Catarina de Médicis* (1519-1589), rainha da França, esposa do Rei Henrique II; *Margarida da Áustria* (1480-1530), duquesa de Savoia e governante dos Países Baixos de 1507 a 1530; *Bianca Capello* (1548-1587), mulher de Francisco I de Médicis, grão-duque da Toscana; *Maria Stuart* (1542-1587), rainha da Escócia de 1542 a 1567; Camilla Peretti, irmã do Papa Sisto V (1521-1590), considerada prepotente e autoritária; *Isabel I* a Católica (1451-1504), rainha de Castela. Cf. nota 140 da edição crítica italiana. Op. cit., p. 77 [N.T.].

descobridora do novo mundo. O poeta deste século[16] começou pelas mulheres, dizendo: "As mulheres, os cavaleiros, as armas e os amores". E todos os poetas de hoje são malditos por causa de Marte; por causa de Vênus e da Lua falam de sodomia passiva e de prostituição. E os homens se tornam efeminados e se chamam "Vossa Senhoria"; e na África, onde reina a influência de Câncer, além das Amazonas, há em Fez e no Marrocos os bordéis públicos dos efeminados, e mil outras obscenidades.

Não ficou, porém, por ser Câncer signo tropical e exaltação de Júpiter e apogeu do Sol e de Marte trígono, como também por causa da Lua, de Marte e de Vênus fizeram a nova invenção do mundo e a maneira maravilhosa de dar a volta ao mundo e o governo das mulheres, e por causa de Mercúrio, Marte e Júpiter, a descoberta da imprensa e dos arcabuzes, e também de não fazer grandes modificações nas leis. Porque do Novo Mundo e em todos os mares da África e Ásia austrais o cristianismo penetrou por causa de Júpiter e do Sol, e na África a lei do Xerife por causa da Lua, e por causa de Marte na Pérsia triunfou a lei do califa Ali, renovada pelo Sufi, com as mudanças de domínio em todas aquelas regiões e na Tartária. Mas na Alemanha, na França e na Inglaterra a heresia entrou pelo fato de estarem esses países inclinados para Marte e para a Lua; na Espanha por causa de Júpiter e na Itália por causa do Sol, a quem estão submetidas, e por causa de Sagitário e de Leão, seus signos, permaneceram na beleza da lei cristã pura. Quantas coisas mais haverá de

---

16. O *poeta deste século* é Ludovico Ariosto (1474-1533), autor do poema épico *Orlando Furioso*, do qual é extraído o verso citado no texto. Cf. nota 141 da edição crítica italiana. Op. cit., p. 77 [N.T.].

agora em diante, e aprendi muito desses sábios sobre a mudança das absides dos planetas e sobre a excentricidade, os solstícios e a obliquidade dos equinócios, e os variados polos e figuras confusas no espaço imenso. E aprendi também sobre os símbolos que as nossas coisas têm em relação àquelas que estão fora do mundo, e quanta mudança haverá depois da grande conjunção e do eclipse que seguem a grande conjunção em Áries e Libra, signos equinociais, com a renovação das anomalias, farão coisas maravilhosas ao confirmar o decreto da grande conjunção e da mudança do mundo todo para renová-lo!

Mas, por favor, não me segure por mais tempo, porque tenho muitas coisas para fazer. Você sabe como estou com pressa, outra vez vou responder.

Você precisa saber uma coisa ainda: eles têm livre-arbítrio. E dizem que, se em quarenta horas de suplício[17] não conseguem fazer com que um homem fale o que decidiu calar, nem mesmo as estrelas, que se movem a distância, podem forçá-lo. Mas como elas fazem mudança suavemente nos sentidos, quem seguir mais os sentidos do que a razão estará sujeito a elas. Por isso a mesma constelação que do cadáver de Lutero extraiu vapores infectados, de nossos jesuítas daquela época extraiu cheirosas exalações de virtude, e de Hérnan Cortez[18] que promulgou o cristianismo no México na mesma época.

---

17. As *quarenta horas de suplício* são uma alusão à tortura a que foi submetido Campanella na última fase do processo de heresia movido contra ele, para averiguar a simulada loucura do filósofo. Cf. nota 148 da edição crítica italiana. Op. cit., p. 78 [N.T.].

18. Hernán Cortez (1485-1547), conquistador espanhol, arrasou o Império Asteca no México [N.T.].

Mas sobre o que acontecerá logo no mundo eu lhe falarei outra vez.

A heresia é obra sensual, como diz São Paulo, e as estrelas os sensuais inclinam a ela, mas nos homens racionais inclinam à verdadeira lei santa da Razão primeira, que sempre há de ser louvada. Amém.

HOSPITALÁRIO – Espera, espera.

GENOVÊS – Não posso, não posso.

Selo Vozes de Bolso
- Assim falava Zaratustra
  Friedrich Nietzsche
- O príncipe
  Nicolau Maquiavel
- Confissões
  Santo Agostinho
- Brasil: nunca mais
  Mitra Arquidiocesana de São Paulo
- A arte da guerra
  Sun Tzu
- O conceito de angústia
  Søren A. Kierkegaard
- Manifesto do Partido Comunista
  Friedrich Engels e Karl Marx
- Imitação de Cristo
  Tomás de Kempis
- O homem à procura de si mesmo
  Rollo May
- O existencialismo é um humanismo
  Jean-Paul Sartre
- Além do bem e do mal
  Friedrich Nietzsche
- O abolicionismo
  Joaquim Nabuco
- Filoteia
  São Francisco de Sales
- Jesus Cristo Libertador
  Leonardo Boff
- O caráter oculto da saúde
  Hans-Georg Gadamer
- A Cidade de Deus – Parte I
  Santo Agostinho
- A Cidade de Deus – Parte II
  Santo Agostinho
- O conceito de ironia constantemente referido a Sócrates
  Søren A. Kierkegaard
- Tratado sobre a clemência
  Sêneca
- O ente e a essência
  Tomás de Aquino
- Sobre a potencialidade da alma – De quantitate animae
  Santo Agostinho
- Ética a Nicômaco
  Aristóteles
- Metafísica
  Aristóteles
- Sobre a vida feliz
  Santo Agostinho

- Contra os acadêmicos
  Santo Agostinho
- A Cidade do Sol
  Tommaso Campanella